Barbro Lindgren-Enskog

# Max und der Keks

Bilder von Eva Eriksson

Verlag Friedrich Oetinger, Hamburg

Guck mal, da kommt Max

Max will einen Keks haben

# Max mag Keks

Lecker lecker Keks

# Da kommt der Wauwau

# Wauwau will Max' Keks haben

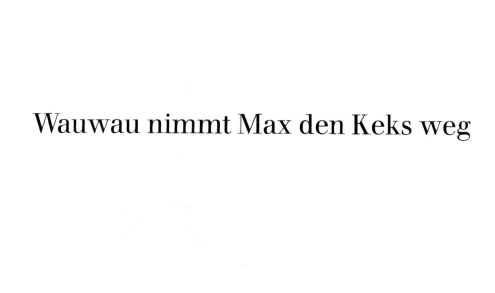

Wauwau nimmt Max den Keks weg

Max ist böse. DUMMER WAUWAU

Wauwau ist böse. GRRR

Max weint

Da kommt Mama
Pfui, nicht Max den Keks wegnehmen

Max kriegt einen neuen Keks

# Max-Bücher

Bilderbücher für die Allerkleinsten
von Barbro Lindgren-Enskog
und Eva Eriksson

Max und das Auto
Max und der Ball
Max und der Keks
Max und die Lampe
Max und der Teddy
Max und das Töpfchen
Max und der Puppenwagen
Max und die Wanne